Le hollandais sans peine

Marie-Aude Murail

Le hollandais sans peine

Illustrations de Michel Gay

l'école des loisirs

Du même auteur à *l'école des loisirs*

Collection MOUCHE

Le Chien des Mers
Mon bébé à 210 francs
Le changelin
Qui a peur de Madame Lacriz ?
Peau de rousse
Patte-Blanche
22 !
La bande à Tristan
Zapland

Collection CHUT !

Le hollandais sans peine
lu par Didier Galas

Avec l'aimable autorisation de la société Assimil
pour le titre de cet ouvrage

ISBN 978-2-211-20134-6

Pour Charles

C'est dans ma neuvième année que j'ai appris le hollandais. À cette époque-là, j'avais un papa, un chic type dans mon genre, qui voulait que ses enfants réussissent dans la vie. Lui n'avait pas beaucoup travaillé à l'école ; ce qui ne l'empêchait pas, tous les étés, de nous acheter à ma sœur Christine et à moi des « cahiers de vacances ». Christine adorait ça. Le lundi soir, elle avait déjà fait son cahier jusqu'au jeudi. Moi, je n'ai jamais pu terminer le mien.

Cette année-là, Papa nous dit :

— Nous allons camper à l'étranger.

Il se tourna vers Maman :

— J'ai pensé que pour les enfants, ce serait bien que nous allions en Allemagne. Ils entendront parler allemand toute la journée. C'est ce qu'on appelle un « bain de langue ».

Moi, je rêvais surtout de bains de mer. Je demandai :

— Ça sert à quoi, un bain de langue ?

Papa explosa :

— Mais bon sang, Jean-Charles ! À la fin du mois, tu sauras parler allemand. C'est très important, pour réussir dans la vie, de savoir parler une langue étrangère.

Je demandai :

— Et toi, tu sais l'allemand ?

Mon papa toussa et répondit :
« Un peu. » Ce qui était un vrai
mensonge.

Au mois d'août, nous sommes
donc partis vers l'Allemagne pour
apprendre l'allemand, nos précieux
cahiers de vacances glissés dans nos
bagages entre la bouée et le maillot
de bain.

Nos ennuis commencèrent à la douane. Le douanier allemand se mit à nous parler tout en dessinant dans l'air des petits carrés. Nous ne comprenions rien. Papa ouvrit le coffre, les valises, sa sacoche ; il allait même vider ses poches quand je lui dis :

– Je crois qu'il veut voir nos cartes d'identité.

C'était exact. Papa prit son air des grands jours et nous expliqua :

– L'allemand est une langue très difficile. Très belle mais très difficile.

Les choses s'aggravèrent une fois au camping. Le gardien était tout aussi bavard que le douanier, et après une journée de route en voiture, nous n'avions pas fait beaucoup de

progrès en allemand. Papa s'épongeait le front, Maman répétait :

— Mais qu'est-ce qu'il nous veut ?

Et le gardien continuait à parler, tout en dessinant dans l'air de petits triangles. Je dis à Papa :

— Il veut qu'on aille planter notre tente.

C'était exact. Le gardien me remercia d'un signe de tête et Papa me dit :

— Tu es sûrement doué pour l'allemand, Jean-Charles.

Au dîner, mon père m'expliqua
comment je devais prendre mon
bain de langue :

— Tu vas faire connaissance avec
un petit garçon allemand de ton âge.
Vous jouerez ensemble, il te dira des

mots en allemand, tu les répéteras et ça viendra tout seul.

Je bougonnai :

— Je n'ai pas envie de jouer avec un garçon allemand.

Maman s'écria :

— Les enfants allemands sont aussi bien que les enfants français !

— Non, ils sont bêtes, dis-je.

Mon père prit de nouveau son air des grands jours :

— Jean-Charles, tu me fais de la peine. Les enfants ont tous la même valeur, qu'ils soient blancs ou noirs, espagnols ou allemands.

Je répétai tout bas :

— Ils sont bêtes.

Mais vraiment tout bas, pour ne pas déchaîner une tempête.

C'est alors qu'une dame blonde accompagnée d'un petit garçon blond passèrent devant notre tente. Ils portaient la vaisselle du dîner dans deux cuvettes. La dame nous regarda, sourit et nous dit quelque chose.

— Bonsoir ! claironnèrent Papa et Maman.

Le petit garçon nous jeta un coup d'œil. Il avait mon âge, il était probablement allemand, il campait à deux pas de nous.

— Et tu vois, dit mon père, il aide sa maman à faire la vaisselle.

— Propose-lui une partie de ballon, ajouta ma mère.

Mes parents me regardaient, ma sœur me regardait, les voisins de tente me regardaient, même le chien du gardien me regardait. La terre entière attendait que j'aille jouer au ballon avec le petit garçon allemand. Je haussai les épaules, je donnai un coup de pied dans mon ballon et je me dirigeai en ronchonnant vers la tente d'à côté.

Le petit garçon semblait m'attendre, les mains sur les hanches. Je shootai. Il arrêta mon ballon sans effort. Il était sûrement idiot, mais il n'était pas maladroit. La partie s'engagea.

Au bout de dix minutes, j'avais oublié mon bain de langue, mais je m'amusais bien. Le petit garçon blond bloqua le ballon sous son pied et, tapant sur sa poitrine, il me cria :

— Niclausse !

Ou quelque chose dans ce genre-là. Je compris qu'il se présentait. Je tapai sur ma poitrine et, pour plaisanter, je criai :

— Moi, Tarzan !

Mon nouveau camarade était un enfant sérieux. Il répéta après moi :

— Moatazan.

Il avait l'intention de prendre un bain de langue. Il répéta une deuxième fois : « Moatazan », avec beaucoup d'application. Je n'aimais pas tellement mon prénom. Je songeai que « Moatazan » ferait tout aussi bien l'affaire que « Jean-Charles », pendant ce mois d'août.

Nous nous assîmes dans l'herbe. L'idée me traversa alors qu'il est très difficile de devenir le copain de quelqu'un qui ne dit pas un seul mot de la même façon que vous. Mon

ami Niclausse cueillit une fleur et
prononça un mot comme « flour »
ou « flaour » ou peut-être « flaveur ».
Par politesse, je répétai. Il éclata de
rire. J'avais sans doute mal prononcé.

Il me fit signe ensuite de donner son nom à la fleur dans ma langue.

Que se passa-t-il dans ma tête, à ce moment-là ? Je trouvai tout à coup stupide d'appeler « fleur » une fleur. Je savais bien que c'était son nom !

Alors, je dis :

— Chprout !

Niclausse répéta :

— Chprout.

C'était sûrement un bon élève à l'école. Je secouai la tête pour lui indiquer qu'il prononçait mal. Je rectifiai :

— Chprouout !

Et Niclausse répéta. Pris soudain d'une véritable folie, je lui montrai un arbre :

— Trabeun !

— Trabeun, dit Niclausse.

Puis, pour ne pas perdre le vocabulaire fraîchement acquis, il récapitula :

— Chprouout, trabeun !

Je fis bravo en tapant dans mes mains. Puis je lui désignai notre toile de tente :

— Chrapati.

— Chrapati, fit Niclausse, élève docile.

Au bout du dixième mot, je pris peur de tout mélanger, d'autant que Niclausse était doué d'une mémoire redoutable. Je courus à ma tente en criant :

— Moatazan chrapati…

Ce qui signifiait, bien évidemment, que j'allais faire un saut jusqu'à ma tente. Niclausse me comprit parfaitement. Mes parents me virent entrer, tout excité.

— Tu t'amuses bien ? me demanda Papa.

— Oh oui ! Je vais écrire des mots dans un cahier.

Je me saisis du fameux cahier de vacances.

— Des mots d'allemand ? me demanda mon père, plein d'espoir.

— Non, criai-je en m'enfuyant, c'est du hollandais ! Niclausse est hollandais !

J'étais ravi de cette dernière trouvaille.

chrapati : tente

trabeun : arbre

chprout : fleur

Le lendemain après-midi, j'avais déjà recouvert six feuilles de mon cahier de vacances avec un lexique franco-hollandais. Comme j'étais un excellent professeur, Niclausse progressait très vite. En fin de journée, nous avions presque des petites conversations. Je disais :

— Moatazan gaboum chrouillasse.

Ce qui voulait dire :

— Moatazan aimer mer.

Niclausse me répondait avec conviction :

— Niclausse gaboum chrouillasse.

Mon ami était persuadé qu'il apprenait le français et je crois bien que, de temps en temps, il allait répéter un mot de français à ses parents.

Le soir, mon père me demanda sévèrement :

— Tu as fait ton cahier de vacances ?

Maman intervint, toujours prête à me trouver de bonnes excuses :

— Écoute, il a fait du hollandais toute la journée. Il peut bien se reposer.

Je pris un air des plus fatigués. Papa me passa la main dans les cheveux.

— Alors, sais-tu comment on dit « bonjour » en hollandais ?

Je n'y avais pas encore pensé. J'improvisai :

— C'est : « Houlaï ! »

Papa regarda ma mère en riant :

— C'est drôle comme langue, tu ne trouves pas ? « Houlaï ! »

Naturellement, le lendemain matin, quand Papa aperçut la maman de Niclausse, il leva la main et lança un « houlaï » retentissant. La dame s'arrêta, indécise, puis elle sourit et répondit :

— Houlaï !

Elle venait d'apprendre à dire « bonjour » en français. Décidément, mon invention faisait plus d'un heureux.

Par malheur, mon père était quelqu'un de très systématique. Puisque je ne faisais pas mon cahier de vacances, j'étais tenu d'apprendre au moins dix mots de hollandais par jour. Mon père m'énuméra tout ce que je devais savoir :

— Les vêtements, la nourriture, les parties du corps, les saisons, les chiffres…

J'étais catastrophé. Arriverais-je à inventer dix mots nouveaux par jour ?

Niclausse était encore plus dangereux que mon père. Il apprenait mes listes de vocabulaire en un clin d'œil et il allait finir par savoir le français mieux que moi !

Le soir, assis sur un pliant, la lampe à gaz sifflant au-dessus de ma tête, je récitais mon hollandais à Papa. Mon père disait :

— Chaussette ?

Je répondais :

— « Tramil ». « Tramilès » au pluriel.

— Pantalon ?

— « Padpad ».

— Short ?

— « Pad ».

Papa se tournait alors vers Maman :

— C'est intéressant comme langue. Un short est un petit pantalon. Donc, le short c'est « pad » et le pantalon c'est « padpad ». C'est logique, beaucoup plus logique que le français.

Un midi, tandis que je révisais mon hollandais, j'entendis ma mère qui marmonnait :

— Ah zut ! Plus d'œuf pour la mayonnaise.

Elle m'appela :

— Jean-Charles ! Comment dit-on « œuf » en hollandais ?

Je répondis machinalement :

— « Vroug ».

Nous venions d'apprendre les aliments avec Niclausse.

— « Vroug », répéta Maman.

Et elle s'éloigna à grands pas. Je sursautai :

— Mais Maman…

Trop tard. Ma mère se dirigeait vers la chrapati voisine. Elle allait dire : « Houlaï ! » et demander un « vroug ». J'attendis quelques instants en me mordant les doigts d'inquiétude. Ma mère revint, l'air désolé, portant une bouteille :

— La dame m'a donné du vinaigre, me dit-elle.

— Tu n'as pas un bon accent, expliquai-je, c'est très important, l'accent, en hollandais.

Maman me regarda :

— Eh bien, vas-y, toi. Ils te comprendront.

Ma mère avait l'air d'en être tellement sûre. Je ne voulais pas la décevoir. Je me rendis chez nos voisins, en traînant les pieds. Comment faire comprendre à cette dame qu'il me fallait un œuf ?

La maman de Niclausse me vit entrer et me salua en français :

— Houlaï !

— Houlaï ! dis-je, de plus en plus désespéré.

Niclausse entra alors en courant :

— Houlaï, Moatazan !

Mon visage s'éclaira. Niclausse était là. Tout devenait simple. Nous parlions la même langue, lui et moi.

— Vroug, dis-je.

Niclausse se tourna vers sa maman et dit quelque chose comme « anègue ». La dame me fit signe avec les doigts. Un, deux, trois ?

— Nu, dveuch, trioche ? me demanda Niclausse.

Nous avions appris à compter jusqu'à vingt.

— Nu, dis-je, nu vroug.

Je revins, portant fièrement mon œuf. Maman me félicita, et Papa en profita pour me faire un discours sur l'intérêt pratique des langues étrangères. Ma mère s'inquiéta soudain :

— Tu as dit merci, au moins ?

Pour qui me prenait-on ? Bien sûr, j'avais dit merci. « Spretzouille » en hollandais.

Christine, ma petite sœur, avait bien vite repéré que mon ami Niclausse avait lui-même une sœur.

Par chance, Christine n'était pas du
tout attirée par le hollandais. Elle se
contenta de savoir que son amie se
prénommait « Barbra », et elle joua
avec elle à s'ensevelir dans le sable.

Un jour, les parents de Niclausse partirent faire un tour en voilier et, par suite de vents contraires, tardèrent à revenir au port. Niclausse était un peu inquiet, mais nos études le

distrayaient. Soudain, ma mère arriva
près de nous en criant :

— Avez-vous vu Christine ?

Plus de Christine, plus de Barbra.
Ni dans le camping, ni sur la plage
privée.

— Gouda Christine ? demandai-
je à Niclausse.

« Gouda ? » voulait dire « où ? ».

— Gouda Barbra ? insistai-je.

Mon ami se redressa d'un bond
et me dit :

— Chrapati chrouillasse.

— Qu'est-ce qu'il raconte ? demanda Maman.

Je traduisis :

— Il parle d'une tente près de la mer. Il y a des gens qui font du camping sauvage, là-bas. Il croit que les filles sont là.

Nous nous mîmes à courir vers la mer. À la façon dont Niclausse galopait à mes côtés, je compris qu'on peut aimer sa petite sœur dans n'importe quelle langue.

Nous arrivâmes à la tente des campeurs. Il y avait un grand trou dans le sable, mais les petits n'y jouaient plus. Les campeurs nous regardaient avec étonnement. Dans mon affolement, je les questionnai en hollandais :

— Gouda Christine ?

Ils arrondirent les yeux et se dirent entre eux :

— Qu'est-ce qu'il veut avec son « gouda » ?

Je poussai un cri de joie. C'étaient des Français ! Ils nous montrèrent un petit bois : les fillettes étaient par là. Je me tournai vers Niclausse :

— Trabeun !

Il regarda les arbres et se reprit à courir en appelant sa sœur. Christine et Barbra étaient bien là, jouant à se construire une cabane. Ma sœur reçut une claque de ma mère, et moi, les compliments de Papa. Sans le hollandais, c'était certain, ma sœur aurait été perdue.

Quand les parents de Niclausse débarquèrent enfin, mon ami les mit au courant du terrible danger qu'avait couru leur fille. La maman de Niclausse m'embrassa et me dit :

— Brova !

Ce qui, tout le monde le sait, veut dire « bravo » en français.

Après un mois de bain de langue, de bain de mer et de bain de sable, le jour du départ vint enfin. Niclausse me serra la main et, les yeux un peu brouillés, me dit solennellement :

— Niclausse gaboum Moatazan.

Ai-je besoin de traduire ? Cela voulait dire, évidemment, que nous étions devenus amis.

— Demande-lui son adresse, me suggéra Maman.

Niclausse me l'écrivit. Je découvris alors qu'il s'appelait Nicolas O'Sullivan et qu'il habitait à Dublin, Irlande. Je glissai très vite le papier dans ma poche et je prétendis par la suite que ma poche était trouée…

C'est depuis cet été en Allemagne qu'est née dans ma famille la légende selon laquelle je serais doué pour les langues étrangères. C'est à cause de cette légende que j'ai appris l'allemand et l'anglais au lycée, puis, plus tard, le russe, l'espagnol, l'italien, le chinois, l'arabe et le japonais. Je suis devenu un grand savant, et je le dois à mes parents.

Aussi, quand j'aurai pris ma retraite, j'en fais ici la promesse : mon cher papa, j'apprendrai le hollandais !